Doctor Tedi

gan Andrea Beaty a Pascal Lemaitre

Trosiad gan Elin Meek

DREF WEN

i Michael, fy nghariad
— A.B.

i Doctor Caude Haber
— P.L.

Cyhoeddwyd 2008 gan Wasg y Dref Wen,
28 Heol yr Eglwys, Yr Eglwys Newydd,
Caerdydd CF14 2EA, ffôn 029 20617860.
Testun © 2008 Andrea Beaty
Lluniau © 2008 Pascal Lemaitre
Y fersiwn Gymraeg © 2008 Dref Wen Cyf.
Cyhoeddiad Saesneg gwreiddiol 2008 gan
Margaret K. McElderry Books, argraffnod o
Simon & Schuster Children's Publishing Division,
1230 Avenue of the Americas,
Efrog Newydd, Efrog Newydd 10020,
dan y teitl *Doctor Ted*.
Mae'r cyhoeddwr yn cydnabod cefnogaeth
ariannol Cyngor Llyfrau Cymru.
Cedwir pob hawlfraint
Argraffwyd yn China

Un bore
deffrodd Tedi,
codi a bwrw
ei ben-glin.

Dyna hen dro, meddyliodd Tedi.
Mae angen doctor arna i.

Edrychodd ym mhobman,

ond doedd dim sôn am un.

Ac oherwydd bod Tedi'n methu dod o hyd i ddoctor …

... dyma fe'n mynd yn ddoctor ei hunan.

Doedd dim swyddfa gan Doctor Tedi,
felly dyma fe'n gwneud un.

Doedd dim rhwymyn mawr gan Doctor Tedi,
felly dyma fe'n gwneud un o'r rheini hefyd.

*Dim ond claf sydd ei eisiau
arna i nawr*, meddyliodd.

Eisteddodd ac aros i un gyrraedd.

Arhosodd ...

ac aros ...

ac aros.

Dyma ystafell aros braf, meddyliodd Doctor Tedi.

Ac arhosodd am ychydig bach eto.

Mae'n bryd i mi fynd ar ymweliad cartref, meddyliodd.

"Helô?" galwodd drwy'r tŷ.

Roedd ei fam yn y gegin.

"Mae'r frech goch arnat ti,"
meddai Doctor Tedi.
"Rhaid rhoi llawdriniaeth i ti."

"Fy mrychni i yw hwnna,"
meddai ei fam.
"Bwyta dy frecwast, da ti."

Yn yr ysgol roedd Doctor Tedi'n eistedd yn nhrydedd res dosbarth Mrs Jones.
Roedd y disgyblion o'i gwmpas i gyd yn peswch ac yn snwffian ac yn tisian.

Gwenodd Doctor Tedi.
Cleifion, meddyliodd.

Roedd y cleifion yn llawn germau.

Amser cinio cymerodd Doctor
Tedi eu tymheredd a mesur eu
pwysau gwaed.

Rhoddodd gyngor meddygol
ardderchog iddyn nhw, ac roedden
nhw'n ddiolchgar iawn.

Roedd Doctor Tedi'n ddoctor mor arbennig o dda, daeth hyd yn oed Mrs Jones i'w weld e.

"Chei di ddim trin cleifion yn yr ystafell fwyta!" meddai hi.

"Mae clwy'r pennau arnoch chi," meddai Doctor Tedi. "Fe allai'r baglau yma eich helpu chi."

"Fy mochau i yw'r rheina," meddai Mrs Jones.
"Bwyta dy ginio, da ti."

Cerddodd Mr Bowen, y prifathro, i mewn.

Roedd Doctor Tedi'n gallu gweld ei fod yn sâl iawn. Roedd angen doctor arno.

"Mae meddyg ysgol gyda ni'n barod. Mae e'n dod bob dydd Gwener," meddai Mr Bowen y prifathro, a gwenu.

"Mae llid y deintgig arnoch chi," meddai Doctor Tedi. "Mae angen i ni roi eich corff chi i gyd mewn plastr."

Gwgodd Mr Bowen y prifathro.

Trodd wyneb y prifathro'n goch, goch.

"Ac mae twymyn arnoch chi!"
meddai Doctor Tedi.
"Mae angen trawsblaniad
arnoch chi."

"MAE MEDDYG YSGOL
GYDA Ni'N BAROD!"

Pwyntiodd Mr Bowen y prifathro at y drws.

"Fe allen ni wneud rhywbeth am eich traed drewllyd chi," meddai Doctor Tedi.

"Cer adre!" meddai Mr Bowen y prifathro.

Roedd Doctor Tedi'n drist iawn.
Paciodd ei rwymyn mawr ac aeth adref.

Y noson honno, cymerodd ddwy fisgeden a mynd yn syth i'r gwely.

Y diwrnod wedyn, yn ystod amser chwarae, eisteddodd Tedi ar fainc ac ochneidio.

Gwyliodd Nerys y Neidr yn perfformio sioe gymnasteg ar y barrau mwnci. Roedd hi'n ddawnus iawn.

Roedd pawb yn meddwl hynny, yn enwedig Mrs Jones a Mr Bowen y prifathro.

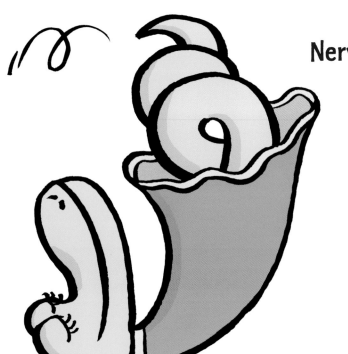

I orffen y sioe, aeth Nerys y Neidr din dros ben a throi yn yr awyr.

Dyma hi'n glanio ar Mrs Jones.

"AW!" llefodd Mrs Jones. "Fy migwrn!"

Rhedodd Mr Bowen y prifathro fan hyn a fan draw.

"Help!" gwaeddodd Mr Bowen.
"Galwch am ambiwlans!
Galwch y frigâd dân!
Galwch y llyfrgell!
GALWCH RYWUN!"

Ond roedd Doctor Tedi yno'n barod.

Lapiodd figwrn Mrs Jones â'i rwymyn mawr. Gwnaeth yn siŵr fod ei llygaid a'i llwnc yn iawn hefyd.

"Cymerwch ddwy fisgeden," meddai.
"Fe fyddwch chi'n teimlo'n well yn y bore."

Ar hynny, dyma'r ambiwlans yn cyrraedd.
A'r dynion tân.
A'r llyfrgellwyr.

"Diolch byth fod Doctor Tedi gyda chi," meddai pawb.
"Mae bob amser yn werth cael doctor ysgol arall," meddai Mrs Jones.
"Mae fy ngwaith i yma ar ben," meddai Doctor Tedi. "Croeso i chi gadw'r rhwymyn."

Trodd wyneb Mr Bowen y prifathro'n
goch, goch.
"Wir nawr, fe ddylech chi wneud
rhywbeth am y dwymyn
sydd arnoch chi," meddai
Doctor Tedi.

Y noson honno, caeodd Doctor Tedi ei swyddfa,
pacio ei stethosgôp, ...

a mynd i gysgu, gan
wybod ei fod wedi
gwneud gwaith da.

Y bore wedyn, deffrodd Tedi, codi o'r gwely a ffroeni'r awyr. Roedd arogl tost wedi llosgi ym mhobman.

Dyna hen dro, meddyliodd Tedi.
Mae angen injan dân arna i ...